U0064368

劉福春・李怡 主編

民國文學珍稀文獻集成

第二輯

新詩舊集影印叢編　第51冊

【徐雉卷】

雉的心

天津：新中國印書館 1924 年 8 月版

徐雉　著

花木蘭文化事業有限公司

國家圖書館出版品預行編目資料

雉的心／徐雉　著—初版—新北市：花木蘭文化事業有限公司，
2017〔民106〕
270面；19×26公分
（民國文學珍稀文獻集成・第二輯・新詩舊集影印叢編　第51冊）
ISBN 978-986-485-151-5（套書精裝）
831.8　　106013764

民國文學珍稀文獻集成・第二輯・新詩舊集影印叢編（51-85冊）

第51冊

雉的心

著　者　徐　雉
主　編　劉福春、李怡
企　劃　首都師範大學中國詩歌研究中心
　　　　北京師範大學民國歷史文化與文學研究中心
　　　　（臺灣）政治大學民國歷史文化與文學研究中心
總編輯　杜潔祥
副總編輯　楊嘉樂
編　輯　許郁翎、王筑　美術編輯　陳逸婷
出　版　花木蘭文化事業有限公司
社　長　高小娟
聯絡地址　235 新北市中和區中安街七二號十三樓
　　　　電話：02-2923-1455／傳真：02-2923-1452
網　址　http://www.huamulan.tw　信箱　hml 810518@gmail.com
印　刷　普羅文化出版廣告事業
初　版　2017年9月
定　價　第二輯51-85冊（精裝）新台幣88,000元
版權所有・請勿翻印

國家社科基金一般項目
「教育視閾下民國詩歌史料的整理與研究」
（批准號 16BZW115）階段性成果

民國文學珍稀文獻集成·第2輯

新詩舊集影印叢編（51-85冊）書目

第51冊	徐雉《雉的心》	天津：新中國印書館 1924年8月版
第52冊	徐雉《酸果》	上海：光華書局 1929年7月版
	甘乃光《春之化石》	民智書局 1924年10月版
第53冊	胡思永《胡思永的遺詩》	上海：亞東圖書館 1924年10月版
第54冊	小說月報社編《歧路》	上海：商務印書館 1924年11月初版
	小說月報社編《良夜》	上海：商務印書館 1925年1月初版
	小說月報社編《眷顧》	上海：商務印書館 1925年4月初版
第55冊	麟符《暴徒之藝術》	自印 1924年版
	熊閏同《白蓮集》	廣州：光東書局 1924年12月初版
	毛明山《夏雨集》	明星書局 1925年1月版
	林仙亭《血淚之花》	上海啟智印務公司 1926年1月初版
第56冊	朱自清《蹤跡》	上海：亞東圖書館 1924年12月版
第57冊	蔣光慈（蔣光赤）《新夢》	上海：上海書店 1925年1月初版
	蔣光慈（蔣光赤）《哀中國》	漢口：長江書店 1927年1月初版
第58冊	蔣光慈《哭訴》	上海：春野書店 1928年3月初版
	蔣光慈《光慈詩選》	上海：現代書局 1928年9月版
	蔣光慈《鄉情集》	上海：北新書局 1930年2月初版，1930年3月再版
第59冊	蔣光慈《戰鼓》	上海：北新書局 1929年6月版

第60冊	朱湘《夏天》	上海：商務印書館1925年1月初版，1927年6月再版
	朱湘《永言集》	上海：上海時代圖書公司1936年4月初版
第61冊	朱湘《草莽集》	上海：開明書店1927年8月初版
第62冊	朱湘《石門集》	上海：商務印書館1934年6月初版
第63冊	王統照《童心》	上海：商務印書館1925年2月初版
第64冊	王統照《這時代》	華豐印刷公司1933年3月版
	王統照《夜行集》	上海：生活書店1936年11月版
第65冊	王統照（王健先）《横吹集》	上海：烽火社1938年5月初版
	王統照《江南曲》	上海：文化生活出版社1940年4月初版
第66冊	旦如《苜蓿花》	杭州：湖畔詩社1925年3月版
	梁宗岱《晚禱》	上海：商務印書館1925年3月初版
	白采《白采的詩》	上海：中華書局1925年4月版
第67冊	姜卿雲《心琴》	上海：古今圖書店1925年4月初版
第68冊	滕固《死人之嘆息》	上海：光華書局1925年5月初版，1926年1月再版
第69冊	臧亦蘧《弦響》	北京：北京英華教育用品公司1925年5月版
	臧亦蘧《霜》	青島：青島書店1931年8月初版
第70冊	臧亦蘧《碎鞋詩集》	1932年12月初版
第71冊	章衣萍《深誓》	北京：北新書局1925年7月版
	章衣萍《種樹集》	上海：北新書局1928年11月初版，1929年6月再版
第72冊	徐志摩《志摩的詩》	中華書局1925年8月初版
第73冊	徐志摩《志摩的詩》（重版）	上海：新月書店1928年8月重版
第74冊	徐志摩《翡冷翠的一夜》	上海：新月書店1927年9月初版
第75冊	徐志摩《猛虎集》	上海：新月書店1931年8月初版
	徐志摩《雲遊》	上海：新月書店1932年7月初版
第76冊	徐沉泗、葉忘憂編《徐志摩選集》	上海：萬象書屋1936年4月初版
第77冊	施牧子《柴火》	自印1925年9月版
第78冊	白薇《琳麗》	上海：商務印書館1925年11月初版

第 79 冊	李金髮《微雨》	北新書局 1925 年 11 月初版
第 80 冊	李金髮《為幸福而歌》(上)	上海：商務印書館 1926 年 11 月初版
第 81 冊	李金髮《為幸福而歌》(下)	上海：商務印書館 1926 年 11 月初版
第 82 冊	李金髮《食客與凶年》	北新書局 1927 年 5 月初版
第 83 冊	李金髮《異國情調》	重慶：商務印書館 1942 年 12 月初版， 上海：商務印書館 1946 年 3 月初版
第 84 冊	張我軍《亂都之戀》	自印（臺北）1925 年 12 月版
	徐少聲《清溪》	孫蔚天印行 1926 年 1 月初版
	賀揚靈《殘葉》	武昌：時中合作書社 1925 年 12 月初版
第 85 冊	陳贊《回憶》	蓓蕾學社出版
	陳贊《北行》	蓓蕾學社出版

雉的心

徐雉 著

徐雉（1899～1947），浙江慈溪人。

新中國印書館（天津）一九二四年八月初版。原書三十二開。

綠波社叢書之一
雉的心
徐雉著

徐雉著

雉的心

新中國印書館發行

著者小影
時年二十有一

雉的心目錄

第一集

雉的心

第二集

2

第三集

雉的心

第四集

4

第五集

一、

路過上海某公園

往寒山寺道中

遊寒山寺

附錄少年集

十六書懷（四首）

憶東鄰女

噴水泉

有贈（五首）

文溪第二國民學校成立賦詩賀之（五首）

夜宿舟中（兩首）

心的燕

所見（三首）

秋日臥病賦詩一章示王君蓉塘

詠月（兩首）

感賦（兩首）

七夕（兩首）

贈王君蓉塘

贈某君小影一紙媵之以詩

上元西廟演號記事

詠菊

友人某君喜贈花露水因遺詩謝之

自題小影

雉的心

贈三姊
消夏詞
夜讀
無題

30

葉序

徐君將要把他所作的詩集「雉的心」付刊時，寫信來囑我做一篇序文。

我想，序文的責務，最重要的當然在替作者加一種說明，使作品的潛在的容易被忽視的精神很顯著地展開於讀者的心中。這是所謂批評家能夠勝任的工作，可惜我絕無批評家的才能，沒有膽量敢於姑一嘗試。

我又想，如能把作者的生平，如性情，境遇，乃至面貌，身材等，等等，同寫生一般敘述下來作爲序文，也就大有刋載於卷首的價值。因爲這樣可使讀者與作者心心相通，到閱讀作者的作品時，便絕無翳蔽和誤會了。可惜我同徐君沒見過一面，只通過幾封信，而且談及的範圍很狹小，所以我也不能担這個責任。

徐君這部詩集，劉延陵君曾仔細看過。他說其中最好的是母親的哭泣，微笑，熄了的心靈之微光，歡樂，一切都不是她的，風兒呵，願爲情而死，憶鎭海女郞，有夫之婦，失戀，石路，送給上帝的禮物，孤獨者的煩悶，愛情的花，心的輕重，一籃花，冲喜，被汚了的靈魂，跳舞的快活那幾首。他的總批評是：

「……………吾觀全册的詩，覺質地雖然很好，而文字方面，除十多首完全佳妙者外，其餘皆須略加修改。……」

——今年三月三十一日致徐君信——

後來這部詩集到了我的手裏，我也通體讀過，覺得劉君的話我都能同意——人家開闢了道路，我便跟着走去，也可以做我不會批評的一個證據了。

近來大家歡喜作小詩，而徐君却有好些近百行的長詩。固然不能說長就是較好，但材料的豐富和組織的經心，可以想見了。一般的小詩往往祇寫一瞬的情緒，和一瞥的景物，而徐君却從自己生活的泉源裏，洶湧地，强烈地，流瀉成壯大之觀，能探尋到這個不竭的泉源，徐君的成功——詩的以及其他的成功——可以預言了。——這些意思是我看了這部詩集隨卽想起的，但決不能算是批評。

我這一首短文當然不能稱爲序文，因爲牠不能盡序文應有的責務。但我又想，一部詩集如果沒有眞正勝任愉快的序文時，寧可不要序文，因爲這樣可使讀者從作品領會作品，從作品

雛的心

認識作者，中間不致雜一點浮塵了，不知徐君以為何如？

——一九二三，五，一八。聖陶——

黃序

在三個月以前，我纔和徐雉君相識，後來徐雉君將他的詩集雉的心寄來把我看，我拿起一讀，竟使我一連落了幾陣眼淚。自此以後，我的朋友們一問及徐君的詩，我禁不住就要說幾句話。——因爲我受了雉的心的很深刻的印象，不覺得就要說幾句。後來徐君寫信給我，囑我替雉的心做一篇序文。我想：「我既然對於雉的心有些要說的話，就爽爽快快地說一說能。」於是就厚顏地答應了。

雛的心中給我印象最深的詩，莫如我的母親，我母親的故事，母親的哭泣，歡樂，有夫之婦，失戀，簡單的回答，在母親的墳墓前，炊之就是熄了的心靈之微光，風兒阿，祇要你愛我，願爲情而死，求哀，愛情的花，乞丐，一籃花，我是死的崇拜者，駒和孤獨者的煩悶中的六，一一，二十，四十二，等詩。當我讀這些詩的時候，我的情感，瞬息間變化了許多次，或喜，或怒，或哀，或悶。我讀母親的哭泣的時候，我不禁就流起淚來了，同時好像聽得徐君的哭聲。唉！徐君眞是一個一團天眞的少年

雉的心

詩人呵！我們現在引出這詩的緊要句子來罷：

告訴我罷，母親，你爲什麼哭呢？
你的手帕全濕透了，母親。
你的眼睛全紅腫了，母親。
你又受了爹爹的欺侮了嗎？
母親，爹爹眞是不好，以後你不要睬他就是了。
爹爹不和你好，不要緊，我總和你好。
…………………………
但是，母親，你爲什麼還是這樣的哭個不

8

雛的心

了？

你面上的脂粉，統統給眼淚洗掉了，
你到底遇着了什麼，使你這樣悲傷呢？
母親，我每逢哭泣的時候，你總是說：「
寶貝！不要哭！媽媽買糖給你喫。」那末
，你現在爲什麼也哭起來，而且比我哭得
更利害呢？
母親，要是你老是這樣的哭泣，我也要哭
了！那時，你若再對我那樣地說：「寶貝
！不要哭！媽媽買糖給你喫。」我可不答
應了！

雉的心

我們讀一讀這一首詩，看是多麼眞摯動人！母子之愛，又是寫得多麼切實！我們讀這首詩，瞬息間就將齷齪的成人之心化爲純潔的童心了。我敬服徐君的詩，我尤敬服徐君在詩裏表現的人格！——這首母親的哭泣，可以爲第一集各詩的代表；所以我對於第一集各詩，也抱同一的感想。

我們再看徐君的抒情詩。也引首詩出來罷：

——祇要你愛我——

吾愛！

你要罵我時，

雉的心

——祇要你愛我——
我就讓你罵罷！
你的罵聲，便是
世界上最美妙的音樂喲！

吾愛
你要打我時，
——祇要你愛我——
我就讓你打罷！
但祇怕反傷了
你那鵝絨一般的嫩手喲！

雉的心

愛情的魔力眞大呀！徐君眞是一個 Sentimentalist 呀！這首祇要你愛我，逼逼數十字，覺能把一個「情人」的心思，和盤托出！我佩服徐君的妙筆，我尤佩服徐君在這詩裏表現的情緒！其餘的抒情詩如風兒呵，願爲情而死，哀求，愛情的花，簡單的回答，失戀等詩，都是從徐君的心底發出來的美妙的音樂！——都是美妙的抒情詩倘若我們不是機械，我們讀了這些詩，沒有不爲之動心的！

總之，我們從徐君的詩裏，可以知道徐君境遇；可以知道徐君的人格；可以知道徐君的

雛的心

情感。我們讀了徐君的詩之後，不禁就發生同情，不禁就受了深刻的印象。詩歌的價值，本來就是如此！雛的心自然值得大家欣賞了。

我要說的話完了。粗率而且淺薄的文字，如何當得起稱序文！，倘若徐君眞要將這篇文字來佔雛的心的篇幅，那麼，就請徐君將牠附錄於裏面算作一篇讀者之言罷！

——一九二三，七，二十六，黃俊。——

雉的心

（序詩一）

寂寞的雉的心，
在街上到處亂滾亂跳；
想把牠蘊藏着的悲哀，
讓來往的人們知道。

誰知道他們都大剌剌地
傍着牠掠過，理也不理牠！
有的說牠礙路；
有的還用脚踏牠！

雉的心

每逢雨天，行人倒稀少了，
　只是路上的濘泥常要污牠；
晴天呢，濘泥變做了塵沙，
　又霧一般的，把牠罩住了！

但牠依舊在街上亂滾亂跳，
　從晝到晚，從晚又到朝；
牠祗望有慈祥的人走來，
　能用眼淚把牠的悲哀洗掉！

雉的心

寞寂的雉的心，
在街上到處亂滾亂跳；
想把牠蘊藏着的悲哀，
讓來往的人們知道。

——一九二三，一，一二於東吳大學——

序詩二

短小的生命樹上，
居然結了纍纍的果子；
但我不願獨自享受，
所以拿來「供諸同好。」

果子未熟就摘下來，
怎能免酸澀的滋味？
但我心裏有分給人的必要，
躊躇着…………總覺得性急！

雉的心

假如我母親尙在世上，
我願摘下幾顆紅透的，
笑着，放在她面前。
她定知道是甜是苦，
但是如今，奈何？

又假如我心愛的人，
今日與她他鄉相逢，
我也願請她來摘果子，
但我與她，今又何如？

18.

加今我只自採自摘，
一顆一顆送與人們；
山珍海味，我都沒有。
患着精神的飢餓的朋友們呀，
這些酸澀的未熟之果，
不過表示我區區一點誠心。

——一九二三，三，四徐雉於東吳大學——

我的母親

（一）

娘呀！算來你養育我三年，
到如今卻還不認識娘面！
倘若臨終時我能多看娘幾面，
或不至於這樣快的就忘記你！
可憐你那親愛的嬰兒，
無知無識，無掛無牽，
不是坐在搖籃裏，
就是睡在娘懷裏，

雛的心

那裏曉得眼前有母時怎樣的喜歡？
更怎知道將來沒娘時怎樣的心酸？

（二）

我問三姊：「母親是怎樣一個人」？
她說：「母親的容貌舉止很像我」。
我用同樣的話問父親，
可憐父親未語淚如麻；

雛的心

我問小弟，他更不知道，
抿着嘴一味向我嘻笑；
我問二姊，——和我不是同母生的——
她不說什麼，祇板板臉看着我，
也不知道是熱罵呢，還是冷嘲？

（三）

我用同樣的話問二哥，
二哥說：

雉的心

「我們母親很富於情感，
她是屬於神經質的人。
她腦海中懷着浪漫的思想，
更抱着詩人的天才和靈魂。
她歌哭無常，
哀樂不定。
他熱烈的神秘的眼淚，
常帶着極深密的同情。
她曙光一般的微笑，
能安慰人類的憂心」。

（四）

雉的心

我又用同樣的話問伯母，
她說：
「唉！可憐的孤獨無母的人呀
！
我一見你，就會想起你母親，
一想起她，就不知不覺的使我
傷心，
更何忍把她生平的事，詳說給
你聽？
她在這世界上似乎無所留戀，
她情願微笑地離這世界而去。

24

雛的心

幸而命運果然叫她這樣做，
不然，就是活着有什麼生趣？
你父親呢，不愛她，
橫豎死了她可再娶！
你的大姊不是她生的，
你的母親受了她不少的欺侮！
你的二姊也不是她生的，
不消說，凶如虎，
又誰敢攖她的怒？
你呢，那時候纔牙牙學語，
又怎知道你母親的痛苦」？

雉的心

（五）

自從我聽了二哥和伯母的話，纔曉得她的個性，境遇和天才。

以後我雖然依舊不認識母親的面，但是我腦海中忽然有她湧現出來！

好像信上帝的人雖不曾見過上帝，但他們心中到底有一個上帝存

26

雛的心

在！
我覺得我心中的母親曾嘗遍酸
辛，
我又覺得她曾歷盡了人間的悲
哀。
我覺得我心中的母親是美麗的
，
比一切都美麗！
我覺得我心中的母親是聖潔的
，
比一切都聖潔！

雉的心

（六）

我也曾祈禱過我心中的母親，
像別人祈禱上帝一樣。
我說：
一母親！我情願你時常擁抱我，
像你生前一樣；
母親！我情願你時常吻着我，
像活着時一樣。
把你溫和的微笑映入我的詩裏，母親！

使我的詩能安慰全人類的靈魂
！
把你同情的熱淚沁入我的詩裏
，母親！
使我的詩能呼出全人類的苦痛
！」

——一九二一，九，二八於東吳大學——

雛的心

我母親的故事

我每逢吃魚的時候，
一縷酸意便牽動我的心念，
如夢的幻景，
一刹那間
展示在盛魚的碟子上了：
在一間軒敞淨明的客廳裏，
父親和兩個異母所生的姊姊，
一塊兒吃着飯。
母親呢，

却在廚房裏和傭婦同桌。
傭婦想討姊姊們的好，
把一碟生蟲的醃魚，
擺在母親面前；
母親吃了幾筷魚，
從已瞎了一隻的雙眼裏，
忍不住滾下幾顆淚珠來。
但父親不經意的笑聲，
兩個姊姊朗朗的談話聲，
傭婦冷酷的譏刺聲，
把母親的哭聲輕輕地掩過了！

雉的心

我每次上樓梯的時候，
一縷酸意便又刺到我心裏，
一件不能忘却的事實，
電影一般地
紛紛映演在梯子上了：
母親站在一座樓梯下，
他那時正害重病。
他實在撐不住了，
想抱着我——那時我只三歲——
同上樓去睡覺；

但她痙攣着的那雙手，
那裏抱得我起？
也沒有人走過來帮助她！
最後她似乎想到了什麽了，
她把緊在我腰間的帶，
緊緊地銜在她嘴裏，
她左手托着我的身體，
右手扶着欄桿，
便這樣一步一級地，
把我曳上去了。

——一九二二，十，二七於東吳大學

在母親的墳墓前

在母親的墳墓前，
我嚶嚶啜泣着；
但我知道她的確不曾死，
雖然她的身體早已冰冰地冷了
！
她的精靈：
化爲明媚的孤月，
和閃鑠的繁星；

雉的心

化為墳上的綠草，
和草間的夜露；
化為墳傍的大樹，
和樹上的鳴鳥，

當我跪在墳前哭泣的時候，
鳥兒帶着哀調高唱着，
我知道這是母親在唱催眠歌了。
樹枝在微風中搖曳着，
我知道這是母親在對我點頭了

雉的心

；

草間的夜露，映着月光，一閃一閃的，

我知道這是母親瑩澈的眼淚了；

繁星孤月的幽光照在我的面頰上，

我知道這是母親溫和的微笑了。

在母親的墳墓前，

雛的心

我嚶嚶啜泣着；
但我知道她的確不會死，
雖然她的身體早已冰冰地冷了！

——一九二三，二，一於東吳大學——

母親的哭泣（散文詩）

告訴我罷，母親，你爲什麼哭呢？

你的手帕全濕透了，母親，

你的眼睛全紅腫了，母親，

你又受了爹爹的欺侮了嗎？

母親，爹爹眞是不好！以後你不要睬他就是了。

爹爹不和你，不要緊！我總和你好。

雉的心

你不高興的時候，我要唱最好
聽的歌給你聽。
你一個人覺得冷清清的時候，
我要親密地和你接吻。
當我放學回家時，我要把先生
對我講的故事背給你聽。
母親，等我將來像哥哥那麼長
大時，我定要賺整千整萬的錢
給你；哥哥也有分；爹爹和姊
姊，我一個錢都不給他們，因
爲他們常常欺侮你。

雉的心

但是，母親！母親！你為什麼
不開口呢？

母親，你不要睬姊姊，我最怕
的是姊姊；他們常常欺侮你。

但是，母親，你為什麼還是這
樣的哭個不了？

你面上的脂粉統統給眼淚洗掉
了，

你倒底遇着了什麼事，使你這
樣悲傷呢？

母親，我每逢哭泣的時候，你

雛的心

總是說：「寶貝！不要哭！媽
媽買糖給你吃，」那末，你現
在爲什麼也哭起來，而且比我
哭得更厲害呢？
母親，要是你是這樣的哭泣，
我也要哭了！那時，你若再對
我那樣地說：「寶貝！不要哭
！媽媽買糖給你吃，」我可不
答應你了。

——一九二三，十一，二於東吳大學——

微笑

我把父親對我的微笑，
比成着夏天熾烈的太陽。
在他嚴肅莊重的笑容裏，
總帶着責罵的神氣，
似乎說：
「這次饒了你，
下次不要再這樣！」
我把母親對我的微笑，

雛心的

比成着秋夜幽潔的月光。
在她溫柔和藹的笑容裏
總帶着呵護的態度，
似乎說：
「寶貝！不要嚇！
有你的娘在這裏。」

一九二三・十一，「於東吳大學」

熄了的心靈之微光

在窗外
皓潔的月光照亮着，
晶瑩的星光閃爍着；
在室內
暗淡的燈光又顫索地搖擺着。
但我一線心靈之微光呀，
永遠只是熄着！
永遠只是熄着！

我對着窗外晶瑩清朗的星月，
和室內暗淡靜悄的孤燈，
不住地凝眼痴想着，
如見十一年前的事情，
在我眼簾外，
糢糊地掩映着，
懇切地湧現着。

那時候我只九歲，
九歲的兒童又曉得什麼？
但仁慈的上帝

雉的心

致他和一個女孩子相識。

相識本不必相愛，
但仁慈的上帝說：
「愛她！我的兒子！
從今後更莫把她忘卻！」

永生的上帝把她的音容，
深深地鐫在我心中。
我但能永久愛着她；
磨滅了我，才能磨滅她！

雛的心

當時我在小學校裏念書，
他便屢屢來尋訪我；
我聽慣了她衣裳綷綵的聲音，
見慣了她手中握着的鮮花。

花是我所愛的，
她也是我所愛的；
我用淚珠養活她給我的花，
因爲我愛花便是愛她！

雉的心

小朋友們見了她，
問我她是我的誰；
我漲紅了臉回答說：
「她是我的好……………不！是我
的妹妹，」

她愛穿長的男袍和一字襟背心
，
一條溫香烏黑的髮辮緊貼在
背後；
但她那男孩子的裝束，

又怎能遮掩住她眉尖的嬌愁
？

光陰風馳電掣一般的過去，
我生命之書上也添了不少戀
愛的事跡。

終於有一天她含着淚對我說：
「親愛的！我們要暫時相別
！」

睡着了終須有醒時，

雉的心

別離了想有再會期。

我們不怕不再相見，只要我們活着，

何況生離終究勝於死別！

如今呵——她的消息，只是杳然！

將來呵——前途渺茫，更費猜疑！

也許此後不能再見，

可憐！相逢只在夢裏。

50

雉的心

夢裏相逢只是默默無言，
醒來時更覺悽悽，
但是，上帝呀！我是終愛她，
我又怎能把她忘記？
以後的事怎樣呢？
這只有上帝曉得了！
也許將來我生命之書上要滿這
染着血和淚。
啊呀！我不能再想下去了！

雉的心

在窗外
幽潔的月光靜照着，
晶瑩的星光微閃着；
在室內
暗淡的燈光又顫索地搖擺着。
但我一線心靈之微光呀，
依舊那樣地熄着！
依舊那樣地熄著！

——一九二一，十二，二十於東吳大學——

52

風兒呵

風兒呵，請你告訴我她住着的
地方。
在天之涯？
在地之角？
在海之濱？
假使我能尋着她呀，
又假使她能像蜜蜂一樣地飛到
我面前呀，
我料我早已把我的血滴在她懷

裏：

我料我早已把我的淚灑在她裙
邊！

天上的行雲呵，請你告訴我她
住着的地方。
在天之涯？
在地之角？
在海之濱？
假使我能尋着他呀，
又假使她能像蝴蝶一樣地飛到

雛的心

我面前呀，
我情願用眞哪噻香膏塗抹她的
脚跟，
我情願把茉莉花花圈圍住她的
頸項；
而且教天空中無量數的星辰去
照耀她的美麗，
而且教地面上無量數的歌鳥去
讚美她的美麗，
天上的月兒呵，請你告訴我：

雉的心

她現在到底還活着呢，或是死了。
倘若是死了，
那末，上帝呀，這是可怕的事！
倘若她是活着，
那末，月兒呀，請你到她那裏去，
而且勸她不要做夢，
就使做夢也不要夢着我！
夢着我不是反使她悲傷？

56

錐的心

哦！這裏不是從我心絃上彈出
來的情詩？
但是現在且把牠焚燒了罷！
這裏不又是從我靈魂裏顫出來
的情歌？
但是現在且把牠忘記了罷！
朋友們！從前我的詩全是爲着
他做的，
現在，我的心琴已碎了，
你們將永不能再聽到我的詩聲

雉的心

！

朋友們！從前我的歌也全是寫

着她做的，

現在，我的靈魂已死了，

你們將永不能再聽到我的歌音

！

哦！這裏不是她從前贈給我的

花兒？

而且每天把我的淚珠兒灌溉牠

；

但是現在流不盡的眼淚也已竭了，
無罪的花兒呀，請你恕了我罷！

——一九二一，十，五於東吳大學——

雉的心

歡樂（共八首）

（一）

越追憶起已往的歡樂，
越使我想到現時的，孤獨的
悲哀；
悲哀的網緻密地將我圍着，
而已往的歡樂却一去不再來
！

（二）

多少我可以找着些安慰，

從過去迷茫的記憶裏；
譬如吃了諫果有回味；
齒頰間猶覺甘如飴。

（三）

有了她
我就像有了全世界；
有了她
我也願忘却這世界；

（四）

她剖甜瓜給我吃，說：
「這是我的心，純潔無比；

雉的心

如今把一半兒給你，
一半兒留給我自已。」

（五）

我拿出兩塊絲帕給她看；
隨她揀一塊去，藏在胸間。
她却揀去一塊舊的，
因爲牠上面有我的淚痕斑斕。

（六）

一天，我又到她家裏去，
她正午睡未起，幃帳低垂。

我既不願喊醒她，
　也不願逕即折回；
若是枯坐着等她醒時，
　又覺得有些不好意思。
正躑躅間，方法來了！便是：
伏在客廳裏茶几上裝假睡。

七

哦！這麼飄渺微妙的音樂！
　這一定又是她在奏琴了。
我那遊絲般的心，
　便隨着琴聲，飛到她那邊去

了。

（八）

在她溫軟如玉的手背上，
我重重地吻了幾下；
後來索性把她的小拳頭，
全個兒塞在我嘴裏了。

——一九二三，二，十六於上海——

一切都不是她的

她有櫻桃般的嘴；
她有楊柳般的腰；
有與象牙爭白的粉頸，
和那烏雲同黑的雙鬢。
還她的同作怎樣羨慕與妒忌，
她總是說：
「這些子都屬於爺娘，
我沒求得，怎好說是我的？」

雉的心

她眼眶裏充滿着光亮的淚珠，
像水晶一樣；
她心窩裏深藏裹甜美的愛情，
像蜜糖一樣；
她血管裏流動着鮮紅的血液，
像珊瑚一樣。
但是她說：
「我已把這些子贈了我愛，
我但爲他保護著這淚珠，愛情
和血液。」

66

她有安逸的靈魂，

純潔而無瑕。

「那末靈魂總是你所有的了！」

她却微笑地回答說：

「靈魂嗎？

一半兒屬於我愛，

一半兒是在上帝的掌握中，

那更不是我的了！」

——一九二二，九，五於東吳大學——

雉的心

憶鎮海女郎

我家近大陸，
雨水不常見；
你家在海邊，
大雨撲人面。

雨水不常見，
因雨憶及你。
憶你而不能見你呀，吾心酸！
憶你而你不知呀，吾腸欲斷！

因雨憶及你，
禁不住涕泗漣漣，
問何時得和你重相遇，
同坐海邊看雨？
禁不住涕泗漣漣，
且莫將往事重提起，
怕只怕，從今後，依舊人分兩
地。

雉的心

我住在大陸，你在海邊。

——一九二二，八，十二於東大暑校——

70

黃金和石頭

愚笨的人把得來的黃金，
深深的埋在地窖中；
還得鎮日裏看守牠，
怕被竊賊偷了一空。
告訴你，愚笨的人！黃金雖多，
原和石頭一樣沒有！

愛情有時候像一塊黃金、

雉的心

有時候又像一塊石頭，
你若不能好好兒用你的愛情，
祇知道把牠密密地藏在心頭；
那麼，牠雖和蜜糖一般的甜美，
也不過是一塊沒用的石頭！
九歲時，我把我的生命和一切
統統交給一個年輕的姑娘，
她是我惟一的靈魂，

雉的心

她的愛是暗中導我的清光。
那時，我的愛情縱是燦爛的黃
金。
這件事。在我記憶中，永遠
不會忘！

萬能的上帝教我們聚首，
又教我們彼此分手？
她倒安然的去了，
我却從此孤另另地到處飄流
。

雉的心

從前我黃金般的愛情，
不多時又變成了石頭！

感謝上帝給我海樣深的愛情，
但我以後只好屈牠做一塊石
頭；

因爲我已專心愛過她，
此外更沒有何種希求！

茫茫的宇宙啊，除了她，
更誰可以做我終身的朋友？

——一九二三，十，二八於東吳大學——

71

祗要你愛我

吾愛！
你要罵我時，
——祗要你愛我——
我就讓你罵罷！
你的罵聲，便是
世界上最美妙的音樂喲！

吾愛！
你要打我時，

雉的心

——祇要你愛我——
我就讓你打罷！
但祇怕反傷了
你那鵝絨一般的嫩手哟！

——一九二二，八，四於東大學校——

76

願爲情而死

吾愛！假使你是一個漁人，
那末我情願化做一條魚，
把我的嘴兒
掛在你的魚鈎上。
但是，吾愛！你鈎得了這條魚
兒後，
將怎樣處置他呢？
還是放他在玲瓏的玻璃缸裏，

雉的心

或是把他殺了？

你也許要那樣地說道：
「還是殺了他吧！」
那末，我將笑而不辭：
「吾愛！請就此下手！」

——一九二二．七，二二於東大暑校——

78

有夫之婦

從前我們年輕的時候，
他是我的好朋友，
我們慣常在海邊的沙灘上遊戲，
不知道有夜，也不知道有晝。
不知道有夜，也不知道有晝；
不知道有晚，也不知道有朝

雉的心

。

但見深藍色的海水，和着我們
嘯！
但見張着帆的船兒，跟着我
們跑！
我每聽着他的名字，何等使我
心跳！
在海邊平平鋪着的沙上，我
用我的指爪，
不曉得把他的名字寫過多少，

但隨後一陣海風又把牠吹平
了！

一陣海風把沙上的他的名字吹
去，
却總不能把深鐫在我心中的
他也吹去！

我曾設誓：除了他，我再也不
愛別人，
祇爲了父母之命不可違，平
白地把我終身誤！

雉的心

自我嫁後，便好久不見他。⋯⋯
一天，我正在溪邊淘米，
靜默默地聽着流水的潺潺；
忽的瞥見溪中倒映着一個頎長的人影，
原來是一位體面的美少年，
站在我的身邊。
「哦！這正是深深地鐫在我心中的他！」

82

雛的心

過去的回憶；便這樣暗暗地提醒我了。
雖一別六年，他呀，却還是從前的他；
可憐我呀，已不是一個尊貴的處女了！

我們彼此傾吐別後的積愫，我禁不住哭了！
淚珠兒落在溪中，和溪水融合而同流。

雉的心

他拿出一方鵝毛般的絲巾，替我拭淚，
却不覺得他自已的眼淚，早已濕透了衣袖！
他性格兒多麼溫柔！他待我又多麼殷懃！
不知世界將變成怎樣，假使我能和他結婚？
「親愛的！從今後不願你愛我，但願你恕我，——

84

恕我從前的潔白身，到如今
已屬了他人！」

在夕陽西下的時候，他滿載着
悵惘回去了。
我呢，目不轉睛地看他的背
影，依舊呆呆地站在溪邊。
樹林中一抹晚霞，好像正在爲
了我泣血！
流聲淙淙的溪水，也好像爲
了我傷心而嗚咽！

雉的心

地球上沒有不落的太陽，也沒有不散的華筵；

我們這一次感傷的會合，也就此終止了。

我幾次想追上去，和他作最後的接吻，

但我沒有勇氣，終於抓着盛米的竹箕回家了！

便是蜜蜂，也知道繞着牠所心

雛的心

愛的花嗡嗡的叫；
便是小孩子，也知道揀自己
喜歡的東西向人要；
惟有我呀，有欲愛的人而竟不
得愛！
只是低首下心，給禮教之繩
束縛得牢牢！
便是牢獄裏的犯人，也許有重
見曙光之一天罷；
便是沈淪中的妓女，也終有

雉的心

一天給她的愛人贖出來；
惟有我呀，有欲愛的人將終身不得愛！
我寂寥的心裏，將永遠葬着灰色的悲哀！

——一九二二，九，三十於東吳大學——

88

私贈

莫說相見爭如不見，
　不見了，便終日愁眉不展；
更莫說不見不如相見，
　見了你，也祇有淚眼相看。

到底我負你？
　到底你負我？
幾次思量過，
　還是禮教負你我！

雉的心

——一九二三，十二，二八於東吳大學——

90

哀求

親愛的姑娘！
要是我得不着你的愛，
要是我得不着你的純潔的愛情，
那末，還是讓我死去的好！

親愛的姑娘！
請你給我你的愛，
請你給我你的純潔的愛情，

雉的心

否則，請你給我死！

——一九二三，三，十六夜於東吳大學——

失戀

鳥兒棲息在樹枝上；
樹兒倒了，
他便去巢人家的棟樑。
但是，親愛的姑娘！請告訴我
：
假使棟樑也折了，
又叫他飛到何方？

魚兒游泳在小河裏；

雉的心

河水枯了，
他便飄到汪洋的海裏。
但是，親愛的姑娘！請告訴我
：
假使海水也乾了，
又叫他向那裏找棲身之地？

我年輕的時候，
我的心緊緊地繫在母親身上。
母親死了，
我閒空的心便到處流浪！

91

雛的心

後來遇着了一個美麗的姑娘，
就把她收留了。
但是，親愛的姑娘！請告訴我
：
假便你不愛我，
我的心更向何處去求歸宿？

——一九二二，十，九於東吳大學——

簡單的回答

「姑娘！我很愛你，
你也愛我嗎？」
「我不愛你！」
她這樣簡單地回答說。

「少年！我不愛你，
你將怎樣呢？」
但我的回答却比她還簡單：
「死！」

——一九二三，三，十九於東吳大學——

孤獨者的煩悶（共五十二首）

（一）

戀愛慾還沒有滿足，
食慾倒先滅了！

（二）

早已買來了
一束五色的信箋，
是寫給情人用的；
但誰是我的情人呢？

（三）

姑不論
是單相思，還是啞相思；
也姑不論
相思的滋味是甜的，或是苦的
；
可憐我
連值得我相思的人都沒有喲！

（四）

當我在路上
瞥見了一對少年戀人
並着肩挽着手兒走着時；

雉的心

我的頭便低下去了！

（五）

世界上最寶貴的東西——
母親的愛與戀人的情！

（六）

我慢騰騰地
走到母親的墳前，
眼眶滿含着酸淚：
「呵母親！
我在這裏。」

（七）

晚上我故意不關窗，
好讓明月進來伴我；
但逢着陰天，沒有月兒呢？

（八）

人類只是
被命運之神愚弄着罷了！
自然主義者的定命論，
早已打進我的心坎了！

（九）

夢裏彷彿有人愛我；
但更夫的擊柝聲，

雉的心

又把我和平而甜蜜的夢敲碎了！

（十）

我是個
生命的長路上孤獨的旅客喲！

（十一）

貴發！你不要儘管和他吵鬧，
你總得讓他一些，
他是沒有母親，怪可憐的！

（十二）

壁上的畫，

102

和架中的書，
是孤獨者僅有的伴侶。

（十三）

我不願遇見
世界上的任何女子；
我一遇見她們，
心兒便不住的跳動。
唉！軟弱的我呀！

（十四）

大哥死時只有二十歲；
二哥呢，只有三十二歲，

雉的心

我如今是二十一歲了，
呀，也許距死的日期不遠罷！

（十五）

不知怎的！
一說起「死」，
我就會聯想到已死的母親。

（十六）

我的心是一隻酒杯，
而異性的愛情
便是那甜蜜的葡萄美酒。
心杯鎮日裏仰望着，

想承受些愛情之酒；
誰知道期待着好久好久，
而今杯中空空，
還是一無所有！

（十七）

越是在大庭廣衆之間，
我越覺得孤獨！

（十八）

母親的愛，
是無價之寶；
是用不完的黃金。

沒有母親的人，
世間最窮的人呀！

（十九）

死有什麼可怕？
便是死了，
也不過變一做個孤獨的鬼！

（二十）

煥燻輕輕地對我說：
「修人因爲你有兩年不歸家，
他很覺得奇怪。
他自己却每天只是想回家！

你知道他家裏還有母親……」
我不等他說完，
就嗚咽的哭了。

（二十一）

我返觀自身，找徧頭脚，
有什麼值得人愛憐的地方？
我只有：
醜陋的面貌，
骷髏的肉體，
被汚了的靈魂……

（二十二）

沙漠鋪在孤獨者的心頭，
而天堂的基礎卻築在戀愛上。

（二十三）

上帝怕不是
一個最巧妙的創造者罷！
因爲女子晶瑩的眼睛，
——也是他造出來的——、
只能瞧見我醜陋的外貌，
卻看不見
我心裏海樣深的愛情。

（二十四）

阿藹！

有幾年沒看見你，
現在長成得像個大人啦。
我記得你母親死時，
你祇有三歲哩！

（二十五）

讀書無非消塊壘，
學詩只合寫悲辛！

（二十六）

假如我有戀人，
我可以不信上帝，

雉的心

因爲那時
她將做我惟一的主宰者。

（二十七）

無聊——還是往酒店裏去罷！
獨自一個人去，
獨自一個人回來，

（二十八）

椰酒
洗不掉孤獨者的煩悶，
却化做光亮的淚珠，
一齊從心房深處湧出！

110

（二十九）

我獨自個冷清清地
在大街上亂轉，
一個年輕的姑娘向着我踱過來，
近了！……漸漸的近了！：更近了！……
我的眼光連忙移向別處。
噯！可怕的誘惑！

（三十）

母親！

雉的心

你是大樹的軀幹，
我是枝葉。
樹幹倒了，
枝葉將何所寄？

（三十一）

淚兒呀！
你流！你流罷！
你流！像瀑布一般的流罷！
你流！像海水一般的流罷！
你把這世界淹沒了罷！
你把我也淹死了罷！

112

（三十二）

唉！這挽留不住的青春，
將從孤獨者飄泊無定的生活裏，
風馳電掣似的逝去了！

（三十三）

少年的時代，
便是戀愛的時代。

（三十四）

物質的飢餓，
有時還可以挨過；

雉的心

但是精神的飢餓，
眞是難受呀！

（三十五）

哼！我現在纔曉得：
原來希望是個狡猾的騙子！

（三十六）

小孩子忽湧忽收的眼淚，
好像夏天大點子的陣頭雨；
不過青年的淚水，
却如春雨濕春林，
迷濛地來又不來去又不去！

114

（三十七）

我恨：
字典裏
爲什麽有這「孤獨」兩個字！

（三十八）

不知道在什麽書裏，
又碰見了這「孤獨」兩個字；
我的眼光便被牠逗住了。
忽然間，牠幻作一隻猛虎，
張牙舞爪地向着我撲過來，
隨後又急急地把我一口吞下。

（三十九）

「情人！」

這是多麼好聽的字眼！

你只要喊一聲「情人，」

你便是一個音樂家。

（四十）

朋友們！我死後，

你們可以在我的墓碑上，

這樣大書特書的寫着：

「這裏面躺着一個孤獨的少年

，

直到永遠，……」

（四十一）

偶然在河邊小立；
潸潸的流水，
祇照着我孤寂的影子！

（四十二）

原是一封很平常的信，
祇為的是
一個不相識的女郎寫給我的，
便格外珍重地把牠藏起來了！

（四十三）

雉的心

火車從來不等候旅客的；
我那寶貴的青春，
牠也不會等候我的，
不久將悄悄地棄我而去，
而且一去永不復返了！

（四十四）

我那裏比得上
蓮花的美麗，清白和純潔？
但我的心卻比蓮心還苦呀！

（四十五）

從前固然也有愛我的；

然而過去的歡樂，
終敵不住現時寂寞的悲哀！

（四十六）

若是愛情可以賣的，
我情願把我的，
挑着沿街喚賣；
橫豎我自己終歸用不棹，
倒不如賣給別人去用的好！

（四十七）

我喜歡演劇；
而尤愛扮演

雉的心

二個美貌女子的情人。
固然，做戲是假的；
但這樣，
我可以暫時得着些安慰了！
（四十八）
朝得愛，
戀人的愛
夕死可矣！
（四十九）
每逢吃飯的時候，
同桌的朋友們

都彼此高興地笑着，談着，
從嘴邊滴下的話語，
比碗裏的飯還多！
惟有這個帶着憂鬱性的我，
祇是低着頭，機械式地
把東西揣塞在肚裏，
不說什麼，
也說不出什麼！

（五十）

我是個流浪的少年，
旅館，火車站，輪船碼頭……

便是我的家鄉。
但我的心也和我身子一樣，
到處漂泊，流浪，浮揚，
永遠找不到歸宿之地！

（五十一）

一個飛蛾
樸到火焰中死了，
這雖然引起了
許多人無端的誹笑，
却使我深深地羨慕了！
我想：

雛的心

就使愛情是一團猛烈的火焰，
我也願化做一個飛蛾，
甘心爲她而死！

(五十二)

我的心天天向我這般唱：
「你不要再使我這樣流浪了！
我倦了！我太倦了！
替我尋個歸宿處罷！
高山也好，平地也好，
荒蕪的田野也好，
迷茫的沙漠也好，

雉的心

陷在滓泥裏也好，
黏在蛛網中也好，
我倦了！我太倦了！，
我不能再到處流浪了！」

愛情的花（散文詩）

我的愛情關不住了，便化做兩行熱淚。我偶然在一座荒蕪了的花園裏散步，我的眼淚不經意地落在草地上，草地上就立刻開了一朵美麗的花，是世界上一向所沒有的。

園裏的蜜蜂，從來不曾聞過花香，如今瞥見了這朵花，便繞着牠飛翔，徘徊不忍去。

杜鵑看見了這朵花，以爲顏色太淡了；便從潔白的胸膛裏，啄出些緋紅的鮮血來，灑在這朵花上。

雉的心

隨後一個年輕的姑娘，打那裏走過，瞧見了這朵花，便用她圓潤的嘴吻牠，用她柔膩的手摸牠。她那玫瑰色的面龐，被花映着，越顯得嫵媚可愛。她覺得這朵花非尋常可比；牠的美麗，純潔和香氣，竟使她走不開了。

那時我可以輕輕地踅到她身邊，對她說：

「姑娘！這朵花是我的眼淚化成的，而我的眼淚又是我的愛情化成的。無論誰家女郎，只要她是和這朵花一樣美麗的，如果愛牠，就可以把牠拿去。現在你正是配享受牠的人，那末，我情願把牠送給你。」

假如她不肯拿去，我便要放聲大哭，我的
眼淚將濕透她的衣裙，我將把我的花撕得粉碎
，讓蜜蜂去憑弔牠的伴侶，讓杜鵑去爲牠泣血
，讓地上的濘泥去遮住牠的美麗，更讓烈日炎
威暴風驟雨去摧殘牠，侵蝕牠。

又假如她願意接受牠，那麽，我的愛情便
有着落了。雖然我的心依舊是空虛的，但多少
終可以得着些安慰了！

——一九二三，十一，二十於東吳大學——

雉的心

心的輕重

有了戀人的人，
他的心是重得不能再重了，
無論誰都搬牠不動的；
因爲有異性的愛情
重重地——而且緊緊地——壓在牠
上面。

沒有戀人的人，
他的心却是

誰的心

輕得和空中的遊塵一般，
一陣微風便可以把牠吹起。

我可憐的心呀！
從前我有戀人的時候，
你是多麼重！
如今呀，你又是這樣的輕！
所以有時在大街上，
我驀地裏遇見美貌的女子，
從她迎風飄舉的額髮裏，
從她紅如夾竹桃的面頰上，

雉的心

沁人鼻脾的香氣，
一陣一陣的撲過來，
我的心便立刻躍躍的跳動起來
好像要飛到她懷裏去似的；
因爲牠是最輕不過的！
因爲牠是最輕不過的！

——一九二三，二，二三於東吳大學——

130

乞丐（散文詩）

「嘩！可憐的乞丐！什麼是你所最需要的？你需要麵包？」一個富人這樣說。

「麵包我固然需要，但不是最需要的；因為麵包只能療我物質上的饑餓，而不能療我精神上的饑餓。」

「那麼，金錢呢？」那個富人又說。

「先生！金錢我也不要；活着的時候既然拿不到手，死後又帶不去。我需要一件永久的，而又不會磨滅的東西。」

「啊！我猜着了！原來你所最急切地希求的是名譽，是不是？」那個富人很得意似的說。

「哼！我要名譽做什麼！當我被煩悶之濃霧罩籠着時，名譽不能把那濃霧吹去；當我在黑暗裏踽踽獨行時，名譽又不能放出一線光明來引導我，所以我也不要牠。不！決不！」

跟着一個少年音樂家蹝過來，他對那個乞丐說：

「麵包既不是你所最需要的，金錢和名譽

雉的心

你又不要，那麼，天才呢？在我看來，天才寶在是世界上最寶貴的東西，我愛天才，猶如世人之愛金鋼鑽。倘若你願意，我可以把我的，分一半給你。你有了音樂家的天才，就可以把你蘊藏在心的深處的悲哀，譜入哀怨而淒切的琴絃。在慘淡孤寂的夜裏，在瀉蕩着如銀的月色的森林下，你能彈出一切和平而美麗的夢；在這夢裏，你會遇見你那已死的母親，你會找得你那理想中的戀人。你又能彈出一切奇特的幻想；在這幻想裏，一切迫壓着你的東西都消失了，你將暫時忘記了你的痛苦。而且，你的悽惻的琴聲浮到天空中，天空中掛着的繁星和孤月，都將失掉了他們的光明；你的琴聲落在汪洋的大海裏，海水就會掀起極大的波浪來；你的琴聲穿到寂寞的深閨裏；閨中的少女便會嗚咽地哭起來。……」

「我雖沒有音樂家的天才，我却時常站在街頭吹簫，我的悲哀，在神秘的音樂的波浪裏面震蕩着。但是那些來來往往的路人，只是大剌剌地從我身傍走過，誰也不理我，也不給我一些安慰。我的簫聲，不能不說是悽慘而動人，但總不能引起他們的同情！憑你有多大音樂家的天才，他們的鐵石一樣的心腸，又堅，又硬的，又冷，決不是一種脆弱微小的哀歌所能移動的。試問我要天才做什麼？復次，天才也是靠不住的，因爲牠也有盡的時候。人之有天才，好像燈之有油。燈裏的油，若不是時常加添，便要涸竭，而天才呢，不獨照樣要涸竭，甚至想加添些也是不可能的。所以天才我也不要。」

最後，一個清麗的女子，左手提着一籃鮮花，姍姍地走到乞丐的身邊。她凝着眼注視他

雉的心

，她的眼波澄靜得和彫像一樣，而且說：

「唉！乞丐！我知道你所需要的是什麼了！我知道你所需要的，是一顆少女的心，裝滿着純潔的愛情，是不是？一個人若是滿腔的愛情無處寄託，或是得不着一些異性的愛情，就好像沙漠中的旅客找不到解渴的水一樣，不久他的生命便要逐漸地枯萎下去！富人祇能給你麵包，金錢和名譽；音樂家只能給你些天才；但我能給你愛情，你所最需要的。我願永久愛着你，我願把這籃花——愛情的象徵——贈與你。」

雛的心

於是乞丐灰白的面龐，漸漸地紅潤起來，
因爲現在他的血管裏有了新生命了！他感激的
眼淚，珍珠般的滾下來。他回答說：
「愛情？異性的愛情？這正是我所最需要
的！這正是我所最需要的！麵包只能療我物質
上的飢餓，惟有你的愛能療我精神上的飢餓！
金錢死後是帶不去的，天才也有涸竭的時候，
惟有你的愛纔是永遠不會磨滅的東西！名譽不
能給我一些幫助，惟有你的愛纔是衝破煩悶之
濃霧的太陽！纔是黑暗中引導我的光明！」

——一九二三，十二、二於東吳大學——

希望又來了

希望是什麼？
希望是一團野火，
容易被吹熄的，
但希望之火，
如今又在我心裏燃着了！

希望是什麼？
希望是一座高塔，
容易倒下來的。

但希望之塔，
如今又在我心裏造成了！

希望是什麼？
希望是一個騙子，
他時常用甘言密語來誘我，
隨後却又離棄了我。
但如今希望又來誘我了！

如今希望又來了！
我明知道他是靠不住的，

雉的心

然而我也沒有別的可以相信，
唉！還是相信他罷！

一團野火，有時可以燎原；
一座方塔，有時高能凌雲；
一線希望，有時也會實現。
所以，還是相信希望罷！

燒在我心裏的希望之火呀，
我願你不要輕易地被吹熄喲！
築在我心裏的希望之塔呀，

我願你不要輕易地倒下來喲！

我再喊一聲：

「還是相信希望罷」！

呵，我心裏微微地燃着的希望之火呀！

呵，我在心裏高高地築着的希望之塔呀！

——一九二三，一，二四於東吳大學——

哭

受不住痛苦和壓迫——
還是嗚咽地哭罷！
哭本是弱者對付强者惟一的手
段呀！

「你若再哭，我便打死你」！
還不是晚娘辱罵的聲音？
唔！原來哭的自由也不容易得
到呀！

雉的心

——一九二三，六，十四於東吳大學——

殘廢者

（一）瞎子

瞎子呀！在現實的世界裏你是
個瞎子，
難道在夢裏你也看不見什麼？

（二）跛足者

跛足者呀！小心些！
世路是這樣的險：
我們好好兒有健腿的，
尙嘆行路難，

何況你呢？

（三）啞子

以人言爲可畏而常閉口的先生們呀！

啞子却是你們最好的導師了。

（四）聾子

當該咒罵的，可怕的槍聲起來時，

我恨不能變做一個聾子呀！

——一九二一，十，六於東吳大學——

石路

獨輪車軋軋地在路上拖過，
　印出一條糢糊不明的痕跡。
石路的胸間受了傷，
　在那裏呻吟而嘆息。

他向着車夫哀聲說：
「我天天在重擔底下度日，
　遭了車輪的蹂躪和踐踏，
我的傷口不知幾時纔能合」

？

車夫低頭不語，
曳着車更急促的向前迸；
他本不曾想到自已的命運，
更何能想到石路的命運！

——一九二一，九，四於東吳大學——

雉的心

賣兒子

一條狹巷裏，聚了一羣人，
拖男帶女，一聲聲喊救命，
中間還夾着賣兒子的聲音，
刺破了黃昏的沈寂和幽靜，

女的抱着孩子們在她懷裏，悲
聲說：
「小寶貝！快多吃幾口奶，不
要儘管哭！

148

說不定一會兒我們就要分離，
也許從今以後永遠不能再見！」

男的說：
「是呀！人們好像都是罪犯，
世界猶如一個斷頭臺；
戰爭不知結果了多少人的性命，
如今饑荒又壓到我們身上來！

「沒有米來沒有粟，

雉的心

一、

面帶菜色身骨立！

可憐北風又吹來滿地雪，

憑牠怎樣的軟如棉，——不可著！

憑牠怎樣的亮如銀，——不可用！

憑牠怎樣的白如粉，——不可吃！

「打算做强盜？

法網却比蜘網密！

雉的心

打算做竊賊？
且看牢獄黑如漆！
笨腦子想不出妙計策，
只好賣兒子過生活！

「但誰沒有父子之情？
又誰不存舐犢之心？
如今呀，
坐下來喊一聲賣兒子，
灑了一回淚！
站起來喊一聲賣兒子，

歎了一口氣！」

天已暗了，

夜之神披着黑色的衣裳到了，

寶兒子的人也滿載着憂愁去了。

——一九二一，七，十九於東吳大學——

旁觀者

旁觀者呀！
勝利者得意的微笑，
你們也已看飽了；
且回頭瞧瞧那些
被損害者慘淡可憐的淚容罷！

——一九二二，六，十四於東吳大學——

跛足的狗

在一條只容一人往來的田塍上，我獨自個載了夕陽走着。

一隻狗向着我蹶過來。

牠忽然在離我七八步外伏着不動，用牠的倦眼很膽怯地偷看我。

當我將走近牠伏着的地方時，牠驀地裏跳了起來，

雛的心

從我身邊飛跑過去，
好像怕我要追牠似的。
我回頭一看，
那可憐的畜生只有三隻脚；
我便覺心中失了什麼似的，
眼眶裏噙着同情的淚，
呼吸覺得沈重了些，
脚步也慢慢的遲緩了。

——一九二二，十一，十於東吳大學——

雉的心

送給上帝的禮物（散文詩）

一羣小孩子工人窮人和詩人站在天堂的門外，都要想進去。

天使先對小孩子說：

「你從人間帶了什麼禮物來獻上帝，表示你的敬意？」

「我是一個私生子。我的爹媽因爲受不住人間惡毒的咀咒，就把我拋棄了。我沒甚麼可以送給上帝，我只有一顆純潔無瑕的靈魂。」

天使又對工人說：

「那末，你呢？」

「我在人間每天要做十三點鐘的工作，還是不得一飽，也沒有一個人可憐我。我還有什麼禮物可以獻於上帝之前呢？我的血汗都被那些資本家榨完了！」

天使又問窮人道：

「你的禮物是什麼呢？」

「我是個無產階級者。除了赤條條一個我以外，什麼也沒有！感謝上帝，因爲他賜給我肉體和靈魂；現在我只能把他賜給我的，仍舊完完全全歸還他。」

最後天使潔白的臉向着詩人說：

「詩人！現在是你說話的時候了。」

於是詩人含着淚悲聲說：

「我在人間，耳所聽見的，只是殺人和賊救的聲音！眼所看見的，只是黑暗如漆的宇宙！鼻所聞着的，只是臭穢的血腥氣！我眼眶裏的淚珠兒傾瀉如瀑！我周身的熱血沸騰得好像在那裏燃燒！我送給上帝惟一的禮物，便是「人生的悲哀！」」

天堂的門呀的一聲開了，他們便陸續地進去。

——一九二三，十・十四於東吳大學——

乞丐來法

人家都說來法死了！
死原是一件很平常的事，
但來法的死，
到如今還使我
負着悲哀的重擔！

來法因為手和脚
都拳曲而不能伸了，
做不來工作，

雛的心

便流爲乞丐。

我的伯母見他可憐，
把一間牛廐借給他住。
傭婦們常把剩飯殘羹，
隨便的倒在地上，
任孳狗搶着吃；
伯母總是那樣地說：
「白白糟塌也罪過，
還是留給來法吃的好！」

雉的心

一天我捧着一碗殘羹，
走到來法住着的地方。
那時牛廐的門半開着；
望進去，裏面全是黑黝黝的，
幾乎看不清一些東西，
這裏太陽光是從來照不到的，
唉！只要一線光明呀！

「來法！來法！一碗羹……給
你的。」
我倚着門這麽喊着。

162

雉的心

「唔……」忽的屋裏
一團黑影蠕蠕的顫動起來，
隨後他走出來了；
「謝謝你！」他饞涎欲滴的樣
子，
小心地把碗接在手裏，
而且笑着。

來法已娶過妻，
而且兒子也很長大了；
但因爲他無力養她，

雉的心

一

她又另嫁了人，
兒子也跟着她去了。
然而她時常記念他，
有時還偷偷地送東西給他。
我屢次瞥見他兒子，
手裏提着一隻紅色的小提桶，
從我家門外走過，
往牛廐那邊去，
來法生前從沒有度過快樂的生
活，

164

雉的心

也不曾夢想着將來；
但當他和遠道來訪他的兒子相
見時，
黝黑的頰上，也就暫時盪漾着
微笑了！

來法不大向人家吃食，
他似乎知道
乞丐的生涯是不體面的。
他攀碗着的兩手，
有時還能到深山裏去砍柴，

雉的心

一捆一捆的賣給人。
我家需柴時，總是向他買的。
他從來不和人論價，
人家給他多少錢，他就拿多少。

但是，現在，來法死了！
人家都說來法死了！
死原是一件很平常的事，
但來法的死，
到如今還使我

～～～～～～～～～～～～～～～～～～～～

負着悲哀的重擔！

——一九二二，十二，十七於東吳大學——

被汚了的靈魂

你可知嬰孩第一次哭聲的意義
？
小孩出世時，帶着純潔無瑕的
靈魂。
他看見環繞四周有罪惡的人們
，
把他們自已的靈魂毫不回顧地
丟棄了；
他便從心坎兒裏，顫出小弱的

聲音來，
很嬌傲地對那些有罪惡的人們
說：
「你們把可貴的靈魂丟掉了，
但是我有靈魂呀！」
這便是第一次哭聲的意義。

當我初生的時候，
我也曾從我靈魂裏，顫出小弱
的聲音來，
表明我是一個純潔無瑕的靈魂

雉的心

。

不幸的是魔鬼隱伏在門傍，
乘機很詭譎地向我說過：
「你看：
人們都把靈魂的重擔卸下了，
又把牠摔在滓泥裏；
現在他們雲裏霧裏非凡舒服。
你爲什麼不把你的離魂丟掉呢
？」

我當時爲了一時的衝動，

170

墮入魔鬼誘惑的圈套中；
把我的靈魂很命地擇在滓泥裏。
從此以後，我便在煩悶的濃霧裏被罩籠着；
罪惡不停的跟着我；
微笑也不在我的兩頰上寄牠的遊蹤；
痛苦圍困我，像一道牆一樣；
可憐我坐在人生的船裏，任牠東西飄蕩，

雉的心

到底找不着幸福的岸。

現在我的心絃又撥動了！
我的生命之火又燃着了！
我已從長期的夢裏醒轉來。
但當我把已失了的寶貝很珍重
地捧着的時候，
我禁不住一陣心酸；
我的眼淚像斷線的串珠一般的
滾下來。
看呵！還不是我做孩子時純潔

的靈魂？

却被那淄泥弄污了！

——一九二一・九，三於（東吳大學）——

死的究竟

朋友們常拿死來嚇我，
不過我是不怕死的，
因爲我曉得死究竟是什麼。

我曉得死就是休息；
死之高原就是休息的塲所。
你若在生命的路上走得倦了，
便不由你不尋個地方休息！
不由你不叩死的門！

我曉得死究竟是什麽，
所以我是不怕死的，
然而朋友們常拿死來嚇我。

——一九二二，八，五於東大暑校——

一籃花

(一)

倘若我的愛人送我一籃芬芳的花，
那末，我將怎樣呢？
自然，我將微笑地握着牠，
像我握着她柔荑似的兩手一樣；
我又要甜蜜地吻着牠，
像我吻着她薄呈紅暈的雙頰一

樣；
最後，我還得鄭重地向她說：
「親愛的！但是我應該怎樣的
報答你呢？
哦！有了！
我情願把我珍珠一般的淚都送
給你，
我情願把我胭脂一般的血都贈
給你，
我情願把我靈透的心竅，裝滿
着愛情，挖出來給你。

（二）

倘若一個美麗的小孩子把一籃
鮮豔的花送給我，
那末，我又將怎樣呢？
或者將我狠婉轉地謝絕他，
我將很慚愧地在他面前跪着；
而且極悲哀地對他說：
「可愛的孩子！
天真爛漫的孩子！
人們都是有罪惡的，
我也是有罪惡的人。

雉的心

我生命上到底劃過齷齪的痕跡
！
那裏配接受你的花？
可愛的孩子！
未曾受過罪惡誘惑的孩子！
冰雪般白的茉莉花，那裏比得
上你純潔？
海水般藍的紫蘭花，那裏比得
上你清白？
斜陽般紅的玫瑰花，那裏比得
上你美麗？

雉的心

惟有你才得毫無愧色的握着牠！

惟有你才得從容不迫的吻着牠！

但是，可愛的孩子！

你豈肯把給人的收回去，

我又豈可不近人情的推辭。

請你把你眼裏露珠般的淚，點滴在花上；

請你把你頰上胭脂般的生命，

映在花上；

雛的心

更請你把你那純潔，清白，美
麗裝飾在花上，
使我得了花也得了你——
得了天真爛漫的孩子氣，
把你送我的鮮花倒出來，鋪在
齷齪人類的道路上。」

——一九二一，八，六於東吳大學——

雉的心

詠月

（一）她底睡覺

喂！街上的路人！走輕些！
在雲的被窩裏，
月亮姊姊正睡着哩。

（二）她底梳粧

上是天——天色蔚藍；
下是水——水平如鏡。
天上的她，映着鏡中的她，
「唉！月兒！你打扮得這麼齊

聲！」

（三）她底歌唱

這顯然是她
在那裏暗地裏唱和着；
否則，爲什麼
簫聲如此淸幽嘹喨呢？

——一九二二，九，三於甯波——

雉的心

曙光

曙光初透的時候，
夜之神已離開大地；
曉風把宛轉的鳥語送將來，
籠裏的雞喔喔地長啼。

世界上的人們有的早已醒了；
有的，仍舊繼續他們的好夢；
有的呢，雖說是驚醒了，
但他們一面摩挲着朦朧的雙眼

，
又看一看窗外的天空，
一面却懶洋洋地說：
「還早呢！：：討厭！
只轉了一轉身，
又呼呼地睡去了！

但籠裏的雞仍舊不住地長啼，
不因着喊不醒的人們失了望；
晨鳥把他們的音樂鼓盪晨着清
，

雉的心

空不因爲歌聲太孤獨而絕了唱。
曉風的力量雖不大，
但他終於盡所能的豁喇喇地吹
去；
曙光雖太弱微了些，
但他到底不願把他的光斂去。

看呀！農夫們都高興地荷着鋤
到田裏工作去了，
朝曦正射在他們的臉上；
聽呀！工人們都開始唱着他們

和平的勞働歌了，
晨鳥和他們一塊兒唱歌，
現在死一般的世界又活動起來，
而且充滿了新的生命；
雖那些還在睡夢的人們，
也不愁他們不醒！

——一九二二，「五一」紀念日於東吳大學——

雛的心

我是個死的崇拜者喲

我是個死的崇拜者喲！
死能給我快樂和安慰，
又能剷除人生的煩悶；
死是往地獄裏去的路，
又是到天堂裏去的門。
我喜歡快樂和安慰，
但厭惡人生的煩悶；
我喜歡入地獄，
但也愛進天堂。

雉的心

所以我情願死，
所以我情願立刻就死。
死神呀！你爲什麼不和我接吻？
我正等待着你呢！

我是個死的崇拜者喲！
我驚奇上帝的萬能，
我也頌揚佛的慈悲；
我讚美女神的美麗，
我也愛魔王的凶惡。

雉的心

〰〰〰〰〰〰〰〰

但我更崇拜死的莊嚴，
死的偉大，
死的沈默，
死的靜寂。
所以我情願死，
所以我情願立刻就死。
死神呀！你爲什麼不和我接吻
！
我正等待着你呢！
我是個死的崇拜者喲！

雉的心

我相信世界是悲哀的淚造成的；
我相信人生是愁苦的網織成的；
我相信海水的微笑，都是死的誘惑；
我相信黑暗的夜色，都是死的象徵；
我相信樹枝上掛着的綠葉，都是招魂的旛；
我相信牆壁間滴搭的鐘聲，都

雉的心

是催死的音；
我相信鳴鳥唱着的調子，都是
讚美死的謳；
我更相信那些熙往攘來的人們
，
都是朝着死的方向走去。
所以我情願死，
所以我情願立刻就死。
死神呀！你爲什麼不和我接吻
？
我正等待着你呢！

192

雄的心

我是個死的崇拜者喲！
自從我上了人生的旅路，
到如今已有二十年了。
在這二十年中，
命運的女神旣常要愚弄我，
煩悶之淵又張着口要吞我；
但當我投入死的懷裏的時候，
我頰上總是帶着微笑的，
我心裏總是滿開着快樂的花的！

雉的心

人們也許不曾嘗過死的味道，
但我知道死是比葡萄酒還甜美的，
　　比琥珀還芬芳的，
　　比酥胸還溫暖的。
所以我情願死，
所以我情願立刻就死。
死神呀！你爲什麼不和我接吻？
我正等待着你呢！

——一九二二，四，十四於東吳大學——

冲喜

一粒星嵌在天際。
媒人說我的未婚夫病得可憐，
要把我立刻迎去，算是冲喜。

一粒星嵌在天際。
昨日，我還是伏在母親的懷裏，

雉的心

今宵，我却和一個不相識的
人睡在一起！

一粒星嵌在天際。
可憐的他已是一病不起，
唉！我又不是醫生，怎能使
他回生起死？

一粒星嵌在天際。
賀客與弔客，夾在一起！
我呢，總穿上紅衣，又換了

雛的心

縞衣！

——一九二三，二，一於東吳大學——

上帝

伏在黑暗裏的人們，
老是擺擺手，
說上帝是沒有的。
但我却從小孩子
　蕩漾着微笑的淺渦裏；
從花的香，
　月的色，
　鳥的清歌，
　太陽的光，

人類的愛……裏，

認識了一個永生的上帝。

——一九二三・三，四於東吳大學——

雉的心

跳舞的快活

跳舞的快活 Terpsicohre 是希臘古代掌跳舞與唱歌的女神。她是捲上黑髮，結着黃金紐的美少女。她手裏常常拿着長衣和七絃琴。古希臘人將各種藝術擬人化了。所以每一種藝術都有一個女神掌管着：有司宰悲劇的；有司宰魅力的；有司宰讚歌的；有司宰諸天的；有司宰戀愛之歌的；有司宰

雉的心

喜劇與牧歌的；有司宰雄辯與輓歌的；有司宰敘事詩與歷史的：……諸如此類，不勝枚舉，跳舞的快活不過許多女神中的一個罷了。

現在正當新舊衝突的時代，舊的固然應該棄掉，新的制度又還沒有建設；於是受了「生的煩悶」的侵襲的青年，便一天多似一天，恐怕我也是籠罩在煩悶的濃霧中的一個青年呀！我做這首詩的

雉的心

目的，無非想安慰自己與和我

樣的青年罷了！

一個人站在岐路上。

四面有黑壓壓的森林圍住他，

又有一層層的濃霧罩籠着；

密菁荒榛拌住了他的脚，

漫漫的荆棘又要作弄他；

天色慢慢地黑起來，

雨也快下來了。

他的眼迷住了！

他的身站定了！

雉的心

他既踟躕着不敢前進，
又尋不出一條歸路！
他只能自己對自己說：「我將
怎樣呢？」

燕子在樹上呢喃地說道：
「羞恥呀！迷路的人！
我們年年春來秋去，
却從來不會迷過路。
羞恥呀！迷路的人！」
一羣百靈鳥在那裏互相驚戒說

雉的心

：

「我們停止唱歌罷！

樹林中有人竊聽着呢。」

老鴉聽見了，探出頭來叫道：

「迷路的人呀！你從那裏來，

那末你就回到那裏去罷！」

於是迷路的人開始哭了！

開始哭了！

他胸中被悲哀塞住了！

他心裏給痛苦壓着了！

雛的心

他仰頭問天——天色蒼茫！
他低頭看地——衰草滿地！
他想起母親，
但母親睡在墳墓裏；
他想起愛人，
但又不知愛人在何方？
祇有地上的沙土曉得他的心事，
無聲地把他落下來的淚珠吸收了去。
他只能自己問自己道：「我將

雉的心

怎樣呢？」

哦！那兒來的香氣？

哦！那兒來的歌聲？

什麼！綷縩的衣裳的聲音也聽見了，

什麼！停勻的七絃琴的曲調也入耳了。

還不是跳舞的快活來了？

這不是迷路的人的引導者來了？

雉的心

這不是「生的歡喜」的種子的
散播者來了？
是呀！她跳舞着來了，
她唱着歌兒來了，
她提着七絃琴來了，
她穿着鮮豔的長衣來了。

風兒聽見她來了，
連忙對打着肫的衆星說：
「姊妹們呀！快把光明的燈擎
起來罷！」

雉的心

老樹聽見她來了，
連忙對垂着頭的枝葉說：
「兄弟們呀！快把歡迎的旗掛
起來罷！」
月亮姊姊驚醒了，
從雲的被窩裏攢出來，
而且紅着顏說：
「她比我還美麗呢！」
百靈妹妹驚醒了，
從葉的細縫裏鑽出來，
而且羞恥地說：

雛的心

「她的歌聲比我唱的好聽得多了！」
蝴蝶哥哥驚醒了，
從花的暗香裏飛出來，
而且慚愧地說：
「她跳舞得比我還好看呢！」

她便在迷路的人之前，
不停的跳舞着；
她便在迷路的人之前。
繼續的歌唱着。

雉的心

蝴蝶也和她一塊兒跳舞，
直到筋疲力盡了爲止！
百靈也和她一塊兒歌唱，
直到聲帶唱破了爲止！
於是迷路的人也快活得微笑了，
因爲她已把他一生的煩悶」的
衣服脫掉了！
於是迷路的人也歡喜得下淚了，
因爲她已把「生的歡喜」的種

210

子散在他的心裏！
現在他再也不覺得黑暗了，
因爲有光明照耀着他！
現在他再也不至於迷路了，
因爲有微風替他引路！

——一九二一，十，十二於東吳大學——

雉的心

路過上海某公園

公園四周圍着鐵鏈。
園裏，遊客們梭一般的來往；
園外，我踽踽獨行地走着。
花香一股股的送將來，
鳥語隱約地可以聽見。
我的眼被逃住了！
我的心給薰醉了！
我終於
急急躍躍地想要進去了！

212

雄的心

可是，園丁拒絕了我說：
「不能進去！不能進去！
惟有中國人和狗不能進去！」
於是我失望了，
胸間似乎窒息般的被壓迫着，
含着淚的眼只是看着地。
今天，我眞是被侮辱了！
而且，也侮辱了全中國人！
今天，我又覺得羞恥了！
而且，也是全中國人的羞恥！
唉！我們的國雖還沒有滅亡，

但我的雉
已嘗到了亡國後苦痛的滋味了
！

——一九二三，二，十一於上海——

遊寒山寺

一面念着牆壁上的詩句，
一面忽的想起十一年前的戀人。
或者她曾到過這裏？
或者她也曾在這裏題過詩？
然而在白堊的牆上，
那裏有她的名字呢？

我怕見雄赳赳的兵士，

雉的心

但我喜歡那
帶着慈和的眼光的寺僧。

寺僧待遊客們眞是殷懃！
他陪着我們到處遊玩，
又指着一口掛着的寺鐘給我們
看，
說這是千餘年來的遺物。
我們把牠摩挲了幾次，
又狠命地敲了牠幾下，
牠的激揚清越的聲音，

嚇得一樹的鳥兒都飛了！

古鐘呀！
我要借重你的力量，
把我的心聲
傳播到全世界去！

——一九二二，十，二一於寒山寺——

一

往寒山寺道中

「坐人力車是不人道的。
但這樣遠的路，那裏走得動？
只要多給他些車錢就是了。」
在未跳上車兒之前，
我自己替自己這樣的辨解着：
也只好這樣的辨解着！

愛出風頭的人，
祗配在熱鬧的地方兜圈子；

要是穿着華麗的衣裳，
在冷清清的田野上跑來跑去，
還算什麼呢？

綠油油的野菜，
沿路傍岸孳生着。
成羣結隊的兵士們，
幾乎比田裏的野菜還要多，
都沿路走着，笑着，談着。

——一九二二，十，二一於寒山寺——

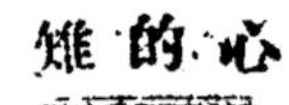

220

附錄

少年集

十六書懷

年華十六夢中身。壯志何時始得伸？讀書無非消塊壘；學詩只合寫悲辛！如何職業讓屠狗？空有文章驚鬼神！往事回頭如隔世；自揮涕淚一沾巾。

大廈難將一木支，不堪潦倒少年時。人情淡薄真如紙；世事興亡每似棋。客裏光陰流水逝；愁中心事夜燈知。算來百事都無味，願伴梅花日咏詩。

韶華過眼太忽忽，非復當年竹馬童。性異柔草

雉的心

堅似石；世無直道曲於弓。繁華富貴原如夢；離合悲歡亦是空。兩字閒愁何日了？舉杯我欲問天公。

北風一夜釀成冬，除却吟詩百事慵。歎歲貧民多菜色，傷時熱淚比茶濃！立身有志思先哲；坐食無成愧老農！衆濁獨淸難望用，枉言得水是蛟龍。

憶東鄰女

回憶六七年前時，吾家移住甬江口，東鄰有女俞逸雲，自幼容貌即奇醜。逸雲從姊曰逸青，女面如芙蓉腰如柳；年方二五曾讀書，與余嘗作髫齡友。自言：家居貴驷橋，肄業女校四年久；阿母來此應叔召，妾隨阿母訪叔母，乃出課作詔余覩，余視女文驚欲走；讀畢愛猶不忍釋，願言美人向索取；美人回首似應允，藏之玉櫝恐污穢。美人謂我頭蓬蓬，替我綰髮且去垢；柔荑拈來溫似玉，我屈美人爲旗婦；（註一

雉的心

）短髮忽落美人頭，未知至今猶在否？遂雲小女不解事，謂彼美人可我耦；美人聞言則大惱，容變桃花如被酒！吾思果如遂雲言，眉緣眼福儘消受。余後侍親歸故鄉，女亦隨母守家畝。從此平安久未通，忽忽大約四載有。明月未知人意緒，夜來故故窺窗牖。早識此後難相見，何如當時不聚首！我思美人頭欲白，我料美人襁褓當已玉臂負！阿姊言我已成人，好花亦應藏一枝；苟汝敦品勵學行，花絲豈無東風吹？鎮海女兒多姿色，髮如雲夸雪擬肌。我聞姊言暗思想，姊言我思卻為誰？

（註一）滿洲人在吾鄉多營理髮生意，故云。

噴水泉

噴水泉！噴水泉！勢直如輪轉；高欲向天穿。動時若競智；靜時若參禪。晨光初出吾來覩，汝已滾滾向無前；月影東升人已倦，汝猶竭力儘爭先。衆人勸汝稍休息，汝氣益鼓勢益專，似勸：吾輩須持久，進步宜着祖生鞭；勿謂今日不學有明日，切記光陰無遲延；光陰既去無回時，分陰豈止值萬錢 致悔年長學已晚，空教搔首問蒼天．老泉廿七始發憤，至今莫不稱先賢。吾亦豁然如夢醒，點首暗媿舌撟然。筆之於座自聊警，自勸毋負好青年。

有贈

己分情絲久繞身，紅樓我本夢中人！得酬翰墨緣非淺；豈片綢繆愛始眞？恒笛嬴簫音尙在；錦囊石鼎跡成陳。（註一）等閒又是春光老，屈指別來幾浹辰？

江魚朔雁長相憶。轉眼辛荑色又妍。料着深閨無一事，迎春詩句定盈箋。

露白葭蒼有所憶。起居近日却何如？熱腸底事如冰冷，不寄緘生一紙書？

一段風流盡不眞，料應明月是前身。定庵佳句

雄的心

堪相贈：藝是鐵神貌洛神。

寒燈風雨倍相親，待我性情處處眞。青眼相加

除却姊，天涯知已更何人？

註一：曩時聚首，相與論詩品茶，樂趣橫生：而余尤喜音樂，得蒙指示處頗多。至今回憶，不禁愴然欲哭！故云。

雉的心

文溪第二國民學校成立賦詩賀之

興教原是邦家光，何況敬恭在梓桑？努力提倡償我願；熱心啓迪慰人望。菁莪時雨涵濡久；桃李春風嘘拂長。學校而今遍林立，英才薈萃化東鄉。

茫茫大陸白雲低，墨雨歐風輸自西。從古地靈人必傑，莘莘學子萃文溪。

興教設學亦吾師，嚴訂課程百世垂。難得羣英一堂聚，絕如馬帳承風時。

國旗影裏樂聲揚。蒙養聖功副所望。學校從茲

雉的心

林立遍，人才蔚起化東鄉。
獻頌賦詩賓滿座，自慚俚句語喃喃。魯魚亥豕
勿相笑，尺二秀才是舊銜！

雉的心

夜宿舟中

惆悵西風賦遠征，無多行李一身輕，家鄉迢遞人千里；烟水蒼茫路幾程？兩岸蛙聲疑鼓吹；半窗蟾影寫秋淸，天空遙聽南歸雁，添得羇愁夢未成。

相見復相別，臨岐淚滿巾，江風吹鬢短；山月對人癡。楓葉紅於錦；蘆花白似銀，蓬窗忘坐久。林鳥又鳴晨，

所見

芙蓉鏡裏試新粧；薰透羅衣百合香，解識春愁
年十五。背娘偷畫黛眉長，
夕陽門巷下香車，粒粒珍珠滿綉襦；博得路旁
人說道：「端莊流麗在今無；」
聰明偏不解羞慙，願乞天公化作男；撲朔迷離
原不辨。就中難諱是嬌憨！

秋日臥病賦詩一章示王君蓉塘

夜來怕見月當頭，不照歡容只照愁！佳節偏從閒裏過；好詩屢向靜中求，軒窗鎮日惟攤飯；枕簟無時不臥游，顧影自憐人似菊。那堪萬里更悲秋？

咏月

夜半無人私語時，舉杯我欲一陳辭：幾人愁怨幾人樂，試問嫦娥知未知？

夜吟微覺素輝寒，月過樓西蠟炬殘；莫向屋梁高處落，思鄉人倚玉欄杆！

雉的心

感賦

人言可畏口常閉，俗累無牽身自閒，涉世如何
難似此？芒鞋悔插入塵寰！
生來多傲骨，莫怪寡良儔，何物此身似，江邊
一白鷗！

16

七夕

露冷蟬鳴又報秋，成橋靈鵲渡牽牛，天公特遣
如鈎月，鈎起新愁與舊愁！
千里銀河亘素波，人間乞巧意云何？天孫織罷
璇宮錦，尙欠婚錢十萬多！

贈王君蓉塘

有序

自民國成立以來，凡政界中人，往往留髭作八字式，似非此不足以驕人者，王君蓉塘亦好為此；習俗移人，賢者不免；因遺詩戲之。

髯蘇兩字舊名高，不愧鬚眉足自豪，無奈汚褻成慣習，何堪頰上更添毫！

再贈王君蓉塘

牛刀小試官南粵，廿雨隨車德澤長。一自陶潛
歸隱後，士民猶憶召公棠，
我生十七識君始；君是詩豪我酒狂。莫道嗣宗
眼常白，而今青眼向嵇康！

贈某君小影一紙媵之以詩

小影一幀與短詩，贈君聊以慰相思。暫時小別何須恨？見此應如見我時。

上元西廟演劇記事

萬人翹首多如鯽，急竹繁絃雜奏時。偏是儂心
甘寂寞，自攜紈扇寫新詩。

雉的心

詠菊

由來傲骨寡良儔；玉潔冰清歐九秋。若把姚黃比苦甍，妖嬈總不敵清幽！

22

友人某君喜頤花露水因遺詩謔之

小立鏡前梳檻髮，背人偷把麝香薰；薄羅衫子
都沾透，錯認當年荀令君。

自題小影

帶寬自覺腰圍瘦；愁貯眉端久未舒。潘岳而今已頭白，更無佳果擲盈車！

贈三姊

一夜西風正度河；病多偏又惹愁多，殷勤數首

賢如此：親手調羹沸燕窩。

消夏詞

竹陰如羃纖雲濃。除却吟詩事事慵。（陸放翁句）荷淨納涼人寂寂，夢甜怕聽寺樓鐘。

夜讀

寒夜攤書眼倍醒，一篇讀竟月穿櫺。阿翁不識蟹行字，試向燈前念與聽。

無題

夢裏言歡總不眞；醒來嗚咽更無因。他年把臂重相見，無奈蕭郎是路人！

綠波社叢書廉價劵

一，凡持此劵向天津新中國印書館購買綠波社　書者，按七折收價。

二，非新中國印書館出版之綠波叢書用此劵無效。

三，此劵只用一次，每次只限一部。

四，此劵自一九二四，八，至一九二五，七，卅，爲有效。

五，持此劵購書須向新中國印書館直接購買，分售處無效。

六，持此劵訂閱綠波季刊一年者亦爲有效。

七，持此劵購新中國叢書者無效。

綠波社謹訂

新中國叢書廉價劵

一，持此劵購買新中國叢書任何一種，卽按七折收價，惟只限一部。

二，持此劵訂閱綠波季刊全年者亦按七折收價。

三，持此劵購書須直向本館辦理，代售處無效。

四，持此劵購綠波叢書者無效。

五，持此劵購他種書籍者無效。

六，郵寄各書照訂價加郵費一成。郵票購書按九五折，綠波叢書廉價購書同。

天津估衣街新中國印書館謹訂

■綠波社叢書■

雉的心　徐雉著　定價

瘡痍　朱樂人著　印刷中

迷途之羊　于賡虞著　印刷中

石榴　焦菊隱著　印刷中

天津估衣街　新中國印書館發行

◀綠波社叢書▶

安徒生童話集　趙景深譯　定價二角五分

上海西門瑞秀里　新文化書社發行

◉綠波社叢書◉

春雲　定價四角

天津城西文昌宮　新教育書社發行

綠波社小叢書

淡霞和落葉　萬曼著　定價二角

此書係萬曼先生的小說詩歌與讀書劄記的合集。萬先生的筆鋒：有時雄深如大刀濶斧，有時輕婀如柳裊雲嫋。這幾篇詩和小說，充分的代表處女期的萬曼，讀書雜記數則，考証精確，多不經人道者，吉光片羽，亦可自珍。

毀去的序文　徐雉著　印刷中

此書係徐生先的第二創作集，計有詩歌小說戲劇多篇。徐雉的作品，感人最深；其雉的心一册，早已噌炙人口，此集尤可珍貴。

浮　螢　北京分社員合集　印刷中

此係北京分社員蹇先艾朱大枬滕心華等先生六人的詩集。各先生的詩都有獨創的調格，又各從其已發表的作品中精選上品，彙爲此集更生彩色。

綺雲和幻夢

周樂山先生的抒情詩與趙景深先生之寫景詩，久爲讀者所愛讀。如今兩先生將已發表的詩合爲一册，上集名綺雲，周先生著，下集名幻夢，趙先生著。

綠波社天津總社編輯

新中國叢書

未知名的死

焦菊隱著　印刷中

此書計有小說八篇：未知名的死，當大事，舊情，逃婚者，革命家，犧牲，石榴，虛驚。焦先生的小說，貴在精刻細緻的描寫。與現在一般作家迥乎不同，且結構方面尤爲精彩。他的作品，向稱女性化，所以藝術方面非常清新委婉，有如其人。

天津估衣街新中國印書館印刷

綠波社小叢書

夜之舞蹈

焦菊隱著　印刷中

此係焦先生的詩集。計分三部：一，「夜的舞蹈」（散文詩集），以清鮮流瀉之筆歌頌自然；二，「無意間」，這一輯是他的比較着格律的詩，如無意間，沈院裏，除了讀來生動之外，又創出一種特殊的格律，爲國內詩壇所僅有：三，「夜哭」，此輯計有散文詩二十幾首，是歌詠詛咒愛，時間，與黑夜的總集，文字念來琳琅鏗鏘，意境則幽窈纏綿，欲研究詩歌者不可不讀。

中華民國十三年八月出版

雉的心（全）

每册定價洋八角

外埠酌加郵費

著作者　徐雉

發行者　新中國印書館　天津估衣街　電話四六八〇

分售處　各省中華書局